bep maakt een hut

Anke Kranendonk
Tekeningen van Ingrid Godon

◀ 🚪 ij 📖 🕐 🚐   Zwijsen

sip

bep is bij oom wik.
maar er is niks te doen.
bep zit op haar bips.
ze kijkt naar een haas.
hij gaat naar het bos.
dag haas, zegt bep.
het mos is nat.
het bos is nat.
maar haas is dom.
hij hoort niks.

daar is oom wik.

is bep sip? zegt wik.

haar neus is wit.

kom, ik dans voor mijn bep.

oom wik hupt heen en weer.

tok tok tok! roept hij.

hij is een kip.

dan pakt hij bep.

zij doet geen dans.

oom wik! roept bep.

dat is gek!

dan is oom wik een draak
met een doek om.
oe woe, doet de draak.
ik bijt in beps oor.
van haar oor kook ik soep.
ik duik door het raam.
maar dat doet geen pijn.
dan kruip ik naar de stoel.
en daar rook ik een pijp.
oe woe, de draak is moe.
maar ... waar is bep?

bep is zoek

bep bep! roept oom wik.
ik was een draak.
maar nu ben ik wik.
is bep in de tuin?
is ze voor het huis?
nee.
er is een reus!
hij gaat naar oom wik.
boe!
ik moet ijs, zegt de reus.

dag reus, zegt oom wik.
waar is bep?
is reus bep?
maar mijn bep is geen reus.
ik moet ijs, zegt de reus.
wik is dik.
wik mag geen ijs.
dan krijg ik er twee!
is bep de reus? vraagt wik.
ha ha, dat is knap.
kijk maar naar mijn rug!
mijn kop is een doek.

mmm, ijs!

bij de beek zit bep.
oom wik is er ook.
bep eet van het ijs.
er is wit op haar neus.
mijn neus eet mee, zegt bep.
mag ik meer ijs?
dan neem ik er een soes bij.
nee, zegt oom wik.
maak maar voort.
we gaan naar de tuin.

aan het werk

in de tuin is veel puin.
dat komt uit een huis.
het raam is stuk.
er is ook een deur.
maar daar zit een gat in.
kijk, dit is gaas, zegt wik.
dat is mooi voor de muur.
bep pakt een tak.
ik zaag de tak, zegt ze.
nu neemt oom wik de bijl.

bep zaagt.
ze doet haar best.
en oom kapt de boom.
zweet gaat van zijn kin.
bep zaagt nog een stok.
dan zet ze er een neer.
er komt gaas om de tak.
ooo! roept oom wik.
ik hak met de bijl.
een tak kwam op mijn voet.
mijn voet doet pijn.
en de teen is paars.

na een poos is het af.
er staat een stok.
en nog een, en nog een.
een tak met een deur.
daar op is het dak.
kijk, oom wik, zegt bep.
dit is het dus.
ik pas in de hut.
maar ik noem het huis.
mijn poes is er ook.
dat is knus.

Raketjes bij kern 4 van Veilig leren lezen

1. de weg naar de maan
Femke Dekker en
Paula Gerritsen
Na elf weken leesonderwijs

2. zoek de vos in het bos
Jørgen Hofmans en
Yvonne Jagtenberg
Na twaalf weken leesonderwijs

3. bep maakt een hut
Anke Kranendonk en
Ingrid Godon
*Na dertien weken leesonder-
wijs*

ISBN 90.276.7806.5
NUR 287
1e druk 2004

© 2004 Tekst: Anke Kranendonk
Illustraties: Ingrid Godon
Uitgeverij Zwijsen Algemeen B.V. Tilburg

Voor België:
Zwijsen-Infoboek, Meerhout
D/2004/1919/513